Amor
CB041493

Histórias para rir e se emocionar

Ilustrações de Mauricio de Sousa • Textos de Paula Furtado

Dados Internacionais de Catalogação na Publicação (CIP)
(Câmara Brasileira do Livro, SP, Brasil)

Sousa, Mauricio de
Turma da Mônica: Do fundo do coração /Mauricio de Sousa ; [ilustrações do autor]. --
1. ed. -- Barueri, SP : Girassol Brasil, 2018.

ISBN 978-85-394-2189-5

1. Contos - Literatura infantojuvenil I. Título.

18-15752 CDD-028.5

Índices para catálogo sistemático:

1. Contos : Literatura infantil 028.5
2. Contos : Literatura infantojuvenil 028.5

GIRASSOL BRASIL EDIÇÕES EIRELI
Al. Madeira, 162 - 17º andar - Sala 1702
Alphaville - Barueri - SP - 06454-010
leitor@girassolbrasil.com.br
www.girassolbrasil.com.br

Direção Editorial: Karine Gonçalves Pansa
Coordenadora Editorial: Carolina Cespedes
Assistente Editorial: Talita Wakasugui
Texto, adaptação e orientação psicopedagógica: Paula Furtado

Direitos desta edição no Brasil reservados
à Girassol Brasil Edições Eireli
Impresso no Brasil

Estúdios Mauricio de Sousa

Presidente: Mauricio de Sousa

Diretoria: Alice Keico Takeda, Mauro Takeda e Sousa, Mônica S. e Sousa

Mauricio de Sousa é membro da Academia Paulista de Letras (APL)

Diretora Executiva
Alice Keico Takeda

Direção de Arte
Wagner Bonilla

Diretor de Licenciamento
Rodrigo Paiva

Coordenadora Comercial
Tatiane Comlosi

Analista Comercial
Alexandra Paulista

Editor
Sidney Gusman

Layout
Robson Barreto de Lacerda

Revisão
Daniela Gomes, Ivana Mello

Editor de Arte
Mauro Souza

Coordenação de Arte
Irene Dellega, Maria A. Rabello, Nilza Faustino

Produtora Editorial Jr.
Regiane Moreira

Desenho
Anderson Nunes, Diego dos Santos Almeida, Emy T. Y. Acosta, Lino Paes

Arte-final
Andrea de Petta, Clarisse Hirabayashi, Cristina Ando, Jaime Padovin

Cor
Felippe Barbieri, Giba Valadares, João Peterson Mazzoco
Kaio Bruder, Marcelo Conquista, Mauro Souza

Designer Gráfico e Diagramação
Mariangela Saraiva Ferradás

Supervisão de Conteúdo
Marina Takeda e Sousa

Supervisão Geral
Mauricio de Sousa

Condomínio E-Business Park - Rua Werner Von Siemens, 111
Prédio 19 – Espaço 01 - Lapa de Baixo – São Paulo/SP
CEP: 05069-010 - TEL.: +55 11 3613-5000

© 2018 Mauricio de Sousa e Mauricio de Sousa Editora Ltda.
Todos os direitos reservados.
www.turmadamonica.com.br

MAURICIO
TURMA DA
Mônica ©
DO FUNDO DO
CORAÇÃO
MAURICIO DE SOUSA
EDITORA
GIRASSOL
Histórias para rir e se emocionar

Sumário

Nando acaba de se mudar para o bairro do Limoeiro. Ele é um menino muito esperto, mas também muito cismado. Sempre tem a sensação de que algo está errado. Um dia, ele escuta sua tia dizer que ele tirou apenas 9,5 na prova de Matemática. A partir desse dia, as caraminholas começam a crescer em sua cabeça.

Era uma vez uma nuvenzinha roxinha, roxinha, feita de mau humor. Ela adora pousar na cabeça das pessoas que estão com raiva. Um dia, ela vai passear no bairro do Limoeiro e causa um grande alvoroço.

Caraminholas na cachola

Certo dia, mudou-se para o bairro do Limoeiro um menino muito esperto, mas também bastante cismado. Ele sempre tinha a sensação de que algo estava errado. Seu nome era Fernando, mas todos o chamavam de Nando.

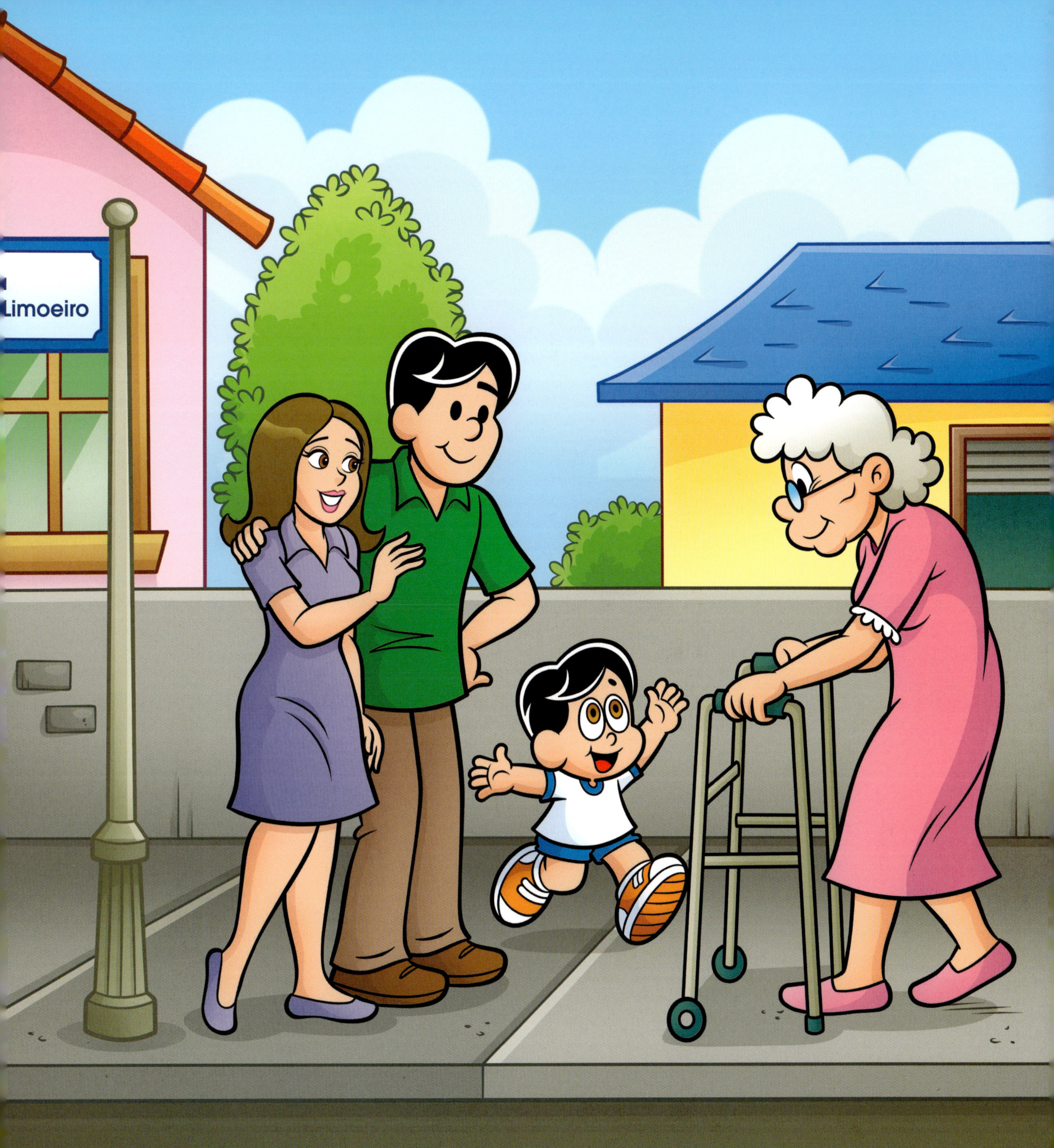

Seus pais resolveram morar pertinho de dona Tetê, a avó de Nando, pois ela já estava bem velhinha.

Como era muito simpático, Nando logo fez vários amigos: Cebolinha, Cascão, Xaveco, Mônica, Magali, Marina – a Turminha mais querida do Brasil.

Eles se divertiam muito, viviam inventando mil passatempos. Brincavam de casinha, navio pirata, pega-pega, queimada, labirinto, amarelinha, esconde-esconde, pula-sela... Até escurecer e dar a hora de voltar para casa.

Certo dia, a criançada estava brincando no quintal da casa da vovó Tetê, quando Nando ouviu sua mãe, lá na sala, contar para as tias que ele tinha tirado 9,5 na prova de Matemática.

– Só 9,5? – brincou a tia Telma.

Nando ouviu aquilo e acreditou no comentário. Aquela nota não era mesmo boa. Por isso, achou melhor desculpar-se com a mãe.

— Mãe, sabe a prova de Matemática? Eu, eu... É que eu podia ter estudado um pouco mais. Da próxima vez, prometo que vou conseguir uma nota mais alta.

– Imagina, filho! Esta é uma nota muito boa! – disse ela.

Mas o menino não acreditou na resposta da mãe.

Vovó Tetê, que apesar da idade prestava atenção em tudo, acompanhou a cena e foi logo dizendo para Nando:

– Você está é com caraminhola na cachola, menino!

Todos acharam graça e Nando voltou para o quintal onde estavam os amigos. Mas o garoto ficou muito pensativo: “Caraminhola na cachola deve ser algo muito sério!”.

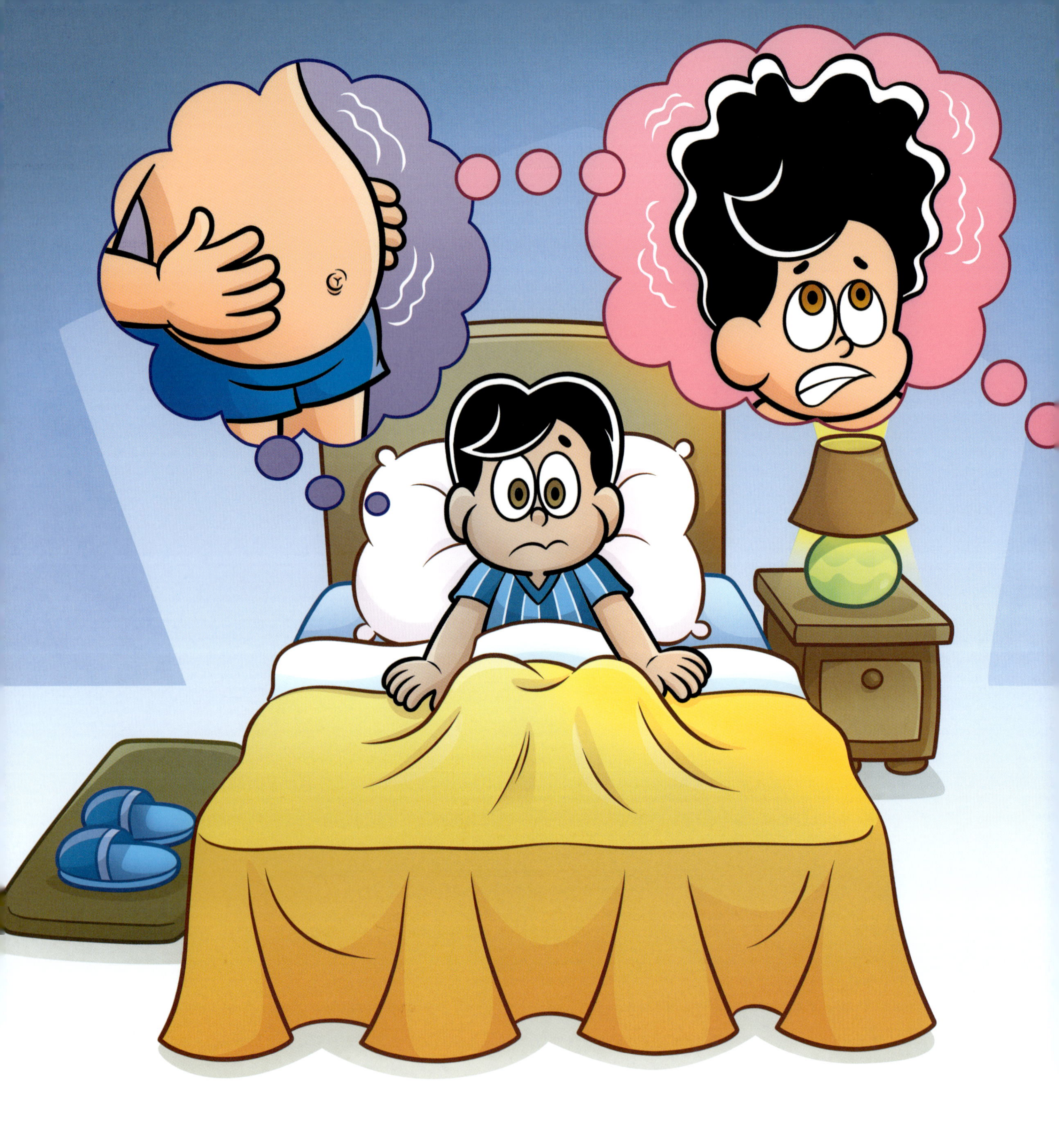

E, mais tarde, sozinho em seu quarto, começou a cismar.

"Será que caraminhola dói? Será que é na minha barriga? Não estou sentindo nenhuma dor, mas outro dia tive dor de cabeça... Será que é isso?"

“Ou será algo na minha boca? Nas pernas?”

E cismando, cismando, terminou caindo no sono.

No dia seguinte, Nando acordou preocupado demais e foi perguntar para seu pai se aquilo era grave. O pai falou que o filho estava atrasado para a escola, mas como era muito atento aos questionamentos de Nando, tentou explicar rapidamente:

— Caraminhola na cachola não é doença, filho! É quando estamos preocupados, com minhocas na cabeça, entendeu?

Nando fingiu entender. Ou pensou ter entendido. Na verdade, aquela explicação deixou o menino ainda mais intrigado.

Ele ficou ali parado com o café à sua frente, cismado. Nem viu o tempo passar. Ia perguntar mais alguma coisa para o pai. Mas, como a perua escolar já estava lá fora esperando, era mesmo hora de ir para a aula. Então, agradeceu pela explicação e foi embora sem comer nada.

Na escola, depois de muito pensar na explicação do pai, concluiu:

"Quer dizer que eu tenho uma minhoca na minha cabeça que se chama Caraminhola. Puxa, e o que será que ela está fazendo lá?"

Mônica, sua colega de classe, estava olhando para Nando há um bom tempo e achando a cara dele muito estranha. Então, achou melhor perguntar:

– O que aconteceu, Nando? Você está tão quieto hoje... Será que está doente?

– Ah, não! – respondeu o menino e saiu andando, deixando Mônica falando sozinha, sem entender o que estava acontecendo.

— Esta minhoca deve ter feito um estrago mesmo. Agora os outros já estão até percebendo! – falou ele, bem baixinho. E, sem entender o porquê, sua minhoquinha foi engordando e crescendo.

Mais tarde, na escola, Cebolinha, seu amigo, apareceu e perguntou:

– E aí, Nando, não vai jogar futebol hoje? Vem logo, senão vai tocar o sinal da ***entlada***.

– Ah, hoje não estou a fim...

– Há, há, há, está com medo de ***pelder***, seu ***pelna*** de pau? – Cebolinha brincou com o amigo.

Nando ficou intrigado com a brincadeira e começou a pensar: “Será que não estou jogando bem? Ontem fiz dois gols, mas acho que poderia ter feito mais. E agora? Será que nunca mais serei chamado para jogar?”.

Na hora do recreio, Caraminhola já estava muito gorda e grande. Enorme mesmo! E o menino continuava pensando em coisas que só a faziam crescer mais e mais.

Como Cebolinha tinha avisado aos amigos que Nando não estava querendo jogar naquele dia, é claro que ele não foi convidado para participar do time, o que fez com que o menino não se sentisse nada bem. Apareceram, então, novos pensamentos:

SERÁ QUE VOU VIVER SEMPRE ISOLADO NA HORA DO RECREIO?
SERÁ QUE NÃO GOSTAM MAIS DE MIM?
SERÁ QUE NÃO JOGO BEM?
SERÁ...? SERÁ...?
ZZZ

Nando ficou com a cabeça tão pesada que seu corpo foi se curvando ao longo do dia...

Chegando em casa, correu até a mãe e contou toda a história:

– Manhêêêêê, estou com uma minhoca na cabeça chamada Caraminhola e ela está muito grande, com certeza, pois estou sentindo minha cabeça bem pesada. Isso é grave? Precisamos ir ao hospital?

A mãe, depois de escutar as lamentações do filho, explicou:

– Filho, caraminhola na cachola e minhoca na cabeça são expressões, apenas formas de se falar alguma coisa. Pense nas minhoquinhas como se fossem o pensamento ruim, aquele que não vê o lado bom da vida, que acha que tudo está sempre errado. Aquele que acredita que sempre está faltando algo em nossas vidas e que não podemos ser felizes hoje porque a felicidade está naquilo que não temos ou não alcançamos.

— Hum... Entendi, mamãe. Mas... E o que é cachola?

– Cachola é um nome engraçado que as pessoas inventaram para a cabeça.

– E como fazemos para essas minhocas desaparecerem, mãe?

– É só pararmos de alimentá-las, querido! Elas gostam desses tipos de pensamentos.

Nando gostou da resposta e pensou: "Preciso ficar atento para o que vou dar de comida para o meu pensamento".

No dia seguinte, foi para a escola todo animado e disposto a fazer a minhoquinha desaparecer de vez. Quando chegou, viu Cebolinha entrando no prédio com o restante da turma do futebol. Eles não viram Nando, mas na mesma hora ele pensou: "Será que fingiram que não me viram?". E foi para um canto do pátio remoer aquele pensamento.

Mas logo se lembrou do que a mãe havia dito e resolveu mudar a situação. "Afinal de contas" – pensou ele –, "quem manda na minha cabeça e nos meus pensamentos sou eu. Portanto, EU estou no comando!". E foi o que Nando fez. Jogou o pensamento ruim para longe e colocou outro no lugar. "Claro que não me viram... Eles são os meus melhores amigos. Então, é óbvio que se me vissem iriam me chamar."

Depois correu até eles e perguntou:

– E aí, pessoal, vamos jogar?

– Puxa, Nando, já dá pra perceber que você está bem melhor. Ontem você estava muito estranho! – disse o Cascão.

– Mas já passou. É que eu não estava me alimentando direito! – respondeu Nando.

E, a partir daquele dia, o alimento que Nando dava para os seus pensamentos não servia mais para minhocas. Assim, Caraminhola foi diminuindo, diminuindo... até desaparecer.

E você, quais alimentos está dando para a sua minhoquinha?

Era uma vez uma nuvenzinha...

Era uma vez uma nuvenzinha roxinha.
Roxa como batata-doce.
Tão roxinha
como violetas.

Essa nuvenzinha,
diferente das que vemos lá no céu,
não é feita do vapor,
e sim do mau humor!

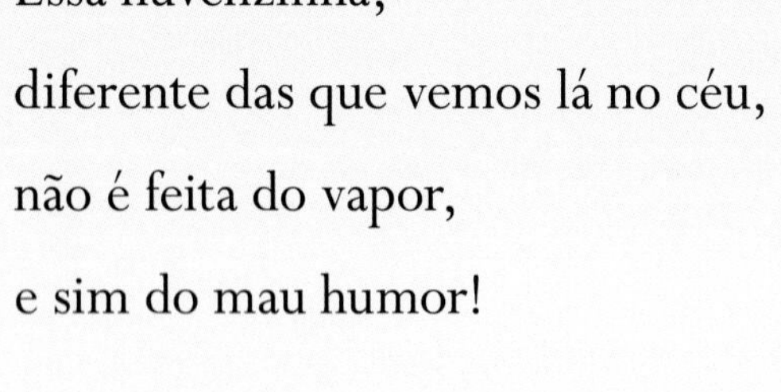

Vamos passar um dia com ela para entender

o que essa nuvem faz para aparecer.

Quem a deixa crescer?

Com quem ela consegue permanecer?

E finalmente...

O que fazer para ela desaparecer?

A nuvenzinha roxa adora pousar
na cabeça das pessoas.
Mas não pousa em qualquer um, não!
Só naqueles que estão sob uma forte emoção:
raiva, agressividade ou frustração.

Agora chega de poesia!
Quero sua companhia
para conhecer esta história.
Vamos seguir a trajetória
dessa terrível nuvenzinha.

O dia dela começa assim: ela acorda bem pequenininha e sai procurando alguém que a faça aumentar.

Certo dia, ela resolveu passear no bairro do Limoeiro, onde mora uma Turminha muito animada.

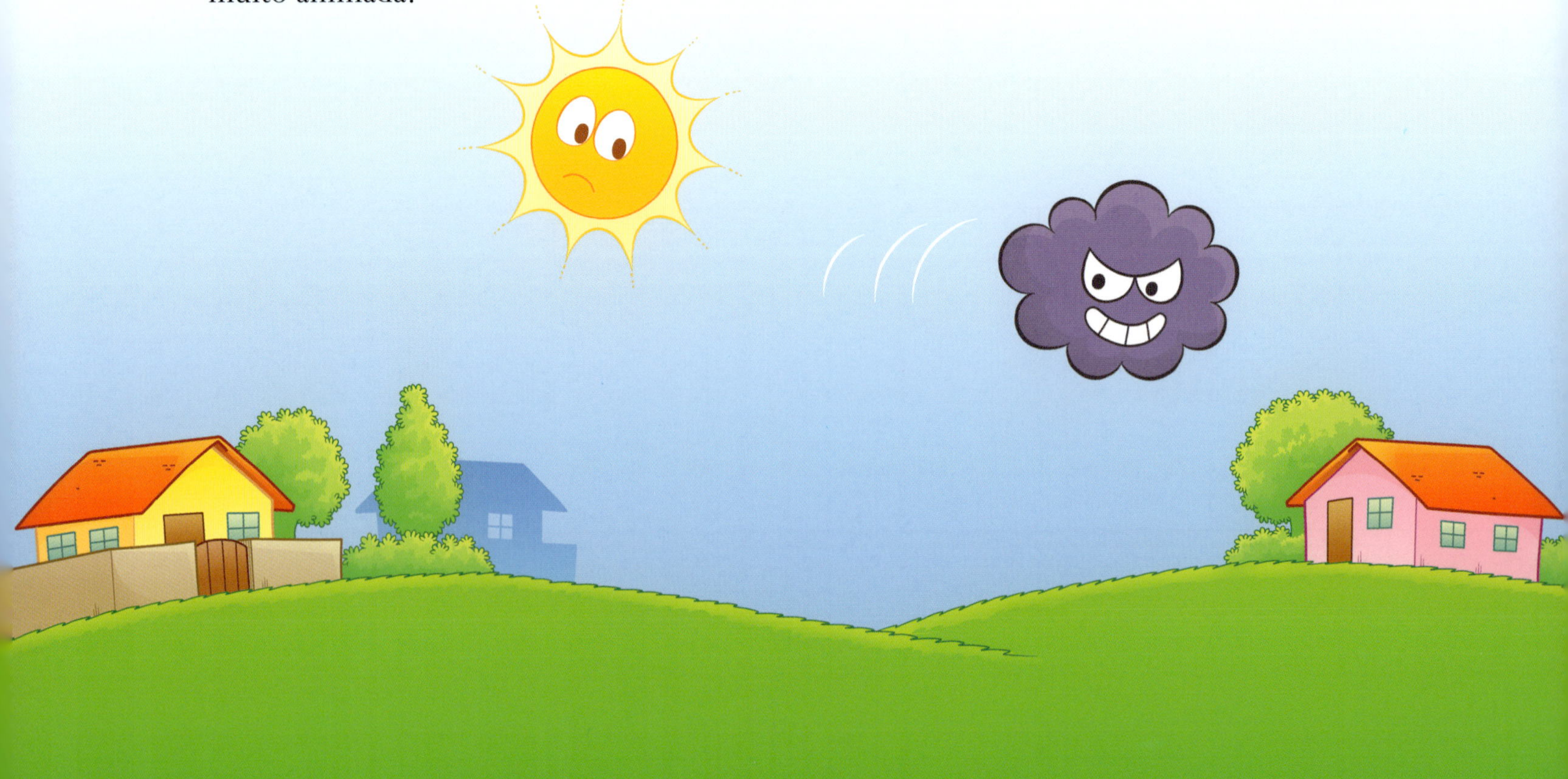

"Com certeza, com um pouco de sorte, vou encontrar alguém para ser a minha companhia!" – pensou ela.

Logo na primeira esquina, a nuvenzinha avistou o Cebolinha.

Ele estava furioso com o linguarudo do Cascão. Para variar, o amigo tinha estragado um de seus planos infalíveis contra a Mônica.

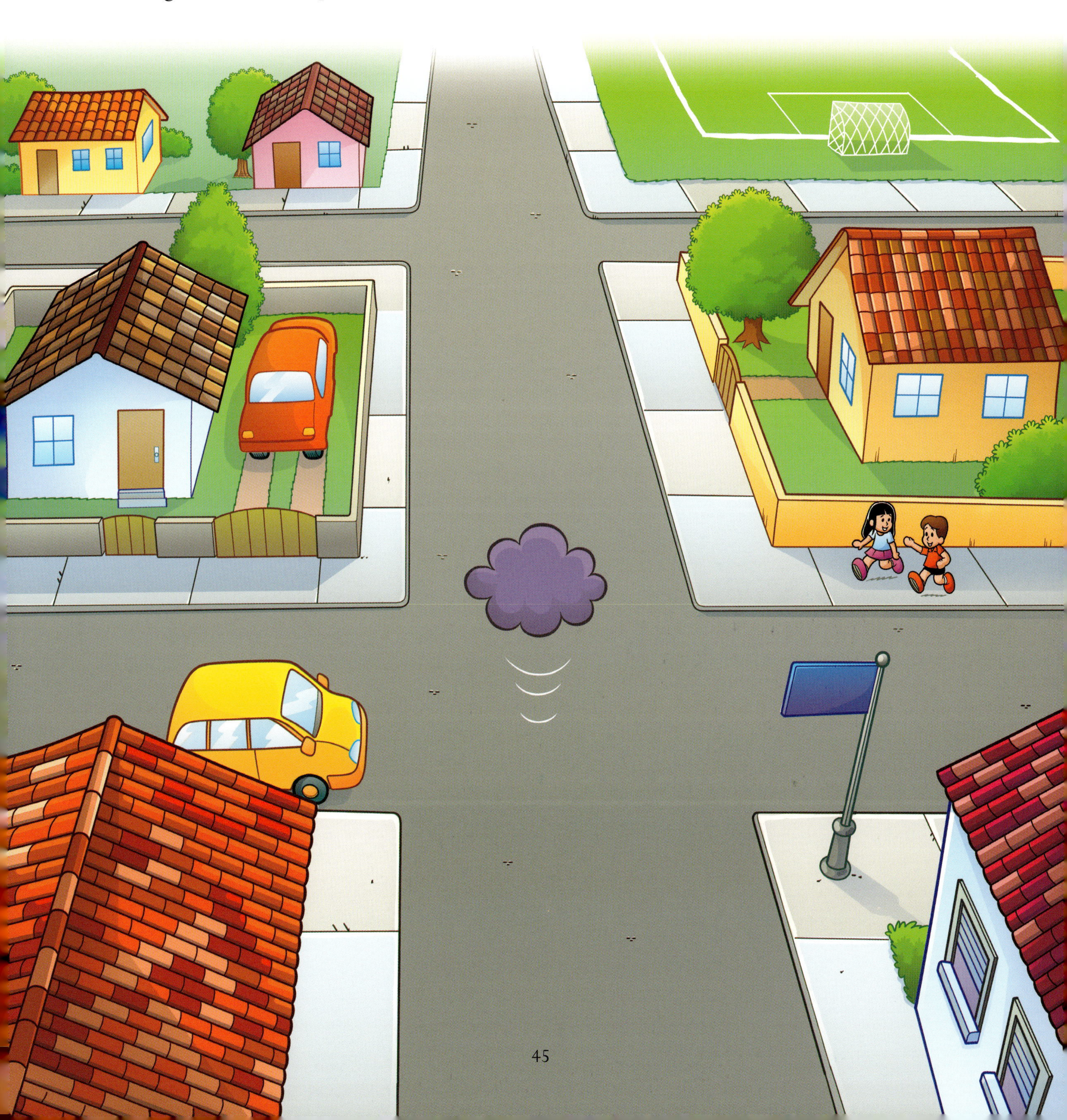

Quando a Mônica descobriu que seu coelhinho estava todo sujo e com as orelhas amarradas, ficou muito, muito brava! E distribuiu coelhadas para todos os lados.

– Mais um plano ***flacassado!*** Buá! Buá! – Chorou o menino sem parar.

Toda vez que o Cebolinha se encontra numa situação parecida, ele reage dessa maneira.

A nuvenzinha pousou no mais alto fio de cabelo do garoto e logo ficou cheia com aquele berreiro todo.

Xaveco ouviu o choro esgoelado do amigo e veio saber o que estava acontecendo. Cebolinha explicou o que houve e disse que estava furioso.

– Eu não sou mais amigo do Cascão! Nós nunca mais vamos ***blincar*** juntos. E muito menos vou fazer planos infalíveis com ele. Buá! Buá!

Xaveco foi acalmando o amigo. Afinal, a amizade dele e do Cascão era muito forte. Não seria um simples plano que estragaria tudo. Lembrou de vários momentos engraçados da dupla e, de repente, Cebolinha começou a gargalhar com as lembranças das aventuras com o amigo.

A nuvenzinha, percebendo que Cebolinha estava se acalmando, resolveu ir embora, antes que começasse a diminuir.

Apesar de ter crescido um pouco com o chororô do Cebolinha, a nuvenzinha ainda queria crescer. Ela sempre queria mais e mais. Seu plano era espalhar várias outras nuvenzinhas por aí.

Então, subiu um pouco mais alto para enxergar melhor. Não demorou para ver o Cascão, bravo, resmungando pela rua:

– Isso não é justo! O Cebolinha sempre coloca a culpa dos fracassos dos seus planos malucos em mim.

Era sempre assim: quando Cascão se sentia injustiçado, ele ficava com raiva, resmungava e reclamava de tudo.

A nuvenzinha não teve dúvida, pousou na cabeça do Cascão. E a cada reclamação, ela ficava muito maior.

A nuvenzinha roxa adora quando as pessoas se descontrolam e até quebram coisas. Isso faz com que ela fique bem forte e não desapareça com tanta facilidade.

Cascão voltou para casa com sua nuvem na cabeça. Seus pais logo perceberam que algo estava errado, porque ele bateu a porta e foi direto para o quarto.

Lá dentro, começou a mexer em todos os brinquedos sem tomar o devido cuidado e deixou tudo bagunçado. Sua mãe foi lá e deu um abraço bem apertado para ele se controlar mais. Depois, perguntou se o filho queria conversar ou preferia ficar sozinho.

Cascão preferiu ficar sozinho e arrumar toda a bagunça que tinha feito. Foi quando percebeu que tinha quebrado seu aviãozinho, presente do Cebolinha. O amigo tinha dado seu brinquedo favorito para o Cascão como prova de amizade.

Aquela lembrança foi desfazendo a raiva e o menino agora só conseguia pensar nos bons momentos da amizade dos dois.

A nuvenzinha mais que depressa saiu do quarto do Cascão. Ali ela não conseguiria mais nada.

A nuvenzinha já estava bem cheinha. Conseguiu voar bem alto, com muita vontade de encontrar mais uma cabecinha irritada.

Lá de cima avistou a Mônica soltando fumaça pela cabeça, de tão brava que estava. O motivo? O estado em que seu coelhinho ficou.

A nuvem pousou na Mônica e imediatamente começaram a sair raios.

Toda satisfeita, a nuvenzinha sabia que ali encontraria muita energia para permanecer grandona.

Porém, não era bem assim.

Todos sabem que a Mônica tem um gênio forte, explode com facilidade, mas não é de guardar rancor.

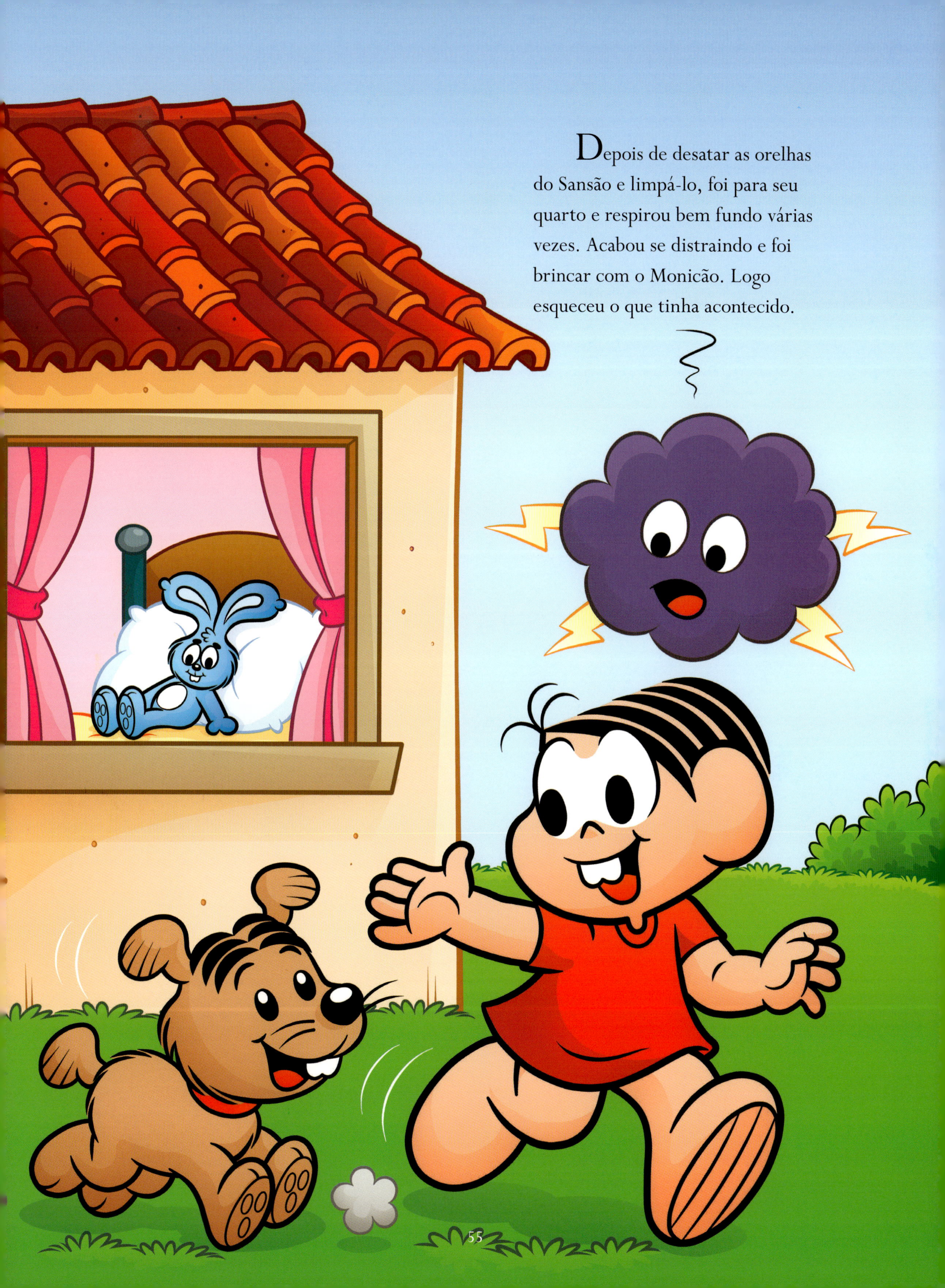

Depois de desatar as orelhas do Sansão e limpá-lo, foi para seu quarto e respirou bem fundo várias vezes. Acabou se distraindo e foi brincar com o Monicão. Logo esqueceu o que tinha acontecido.

Na mesma hora, a nuvenzinha começou a perder seus raios.

"Ah, não! Vou procurar outra vítima" – pensou ela.

A nuvem murchava rápido quando ficava tudo tranquilo, então precisava encontrar logo alguém com raiva.

Lá fora, ela ouviu uma grande explosão e foi procurar de onde vinha tanta fumaça. Descobriu que o barulho e a fumaça vinham do laboratório do Franjinha.

Chegando lá, viu o cientista da Turminha todo chamuscado e com um mau humor daqueles.

– Eu estava trabalhando nesta experiência há um tempão. E agora... perdi tudo! – O menino estava com muita raiva.

A nuvem pousou na franja do Franjinha e começou a inflar.

Quando o cientista ficava bravo e desapontado, ele permanecia quieto num canto e começava a pensar, pensar, pensar. Ele queria descobrir por que sua experiência não tinha dado certo.

Ficou assim por um longo tempo... E a nuvem lá se aproveitando.

Bidu, que não gostava nada de ver seu amigo bravo e triste, fez de tudo para animar seu dono. E ficou puxando Franjinha, para o menino ver o que tinha acontecido.

Franjinha foi com Bidu até a janela. Olhou as plantas da jardineira de sua mãe e descobriu que aquela explosão tinha revelado uma importante descoberta.

— Eureca! – gritou ele. – Descobri como transformar flores murchas e secas em flores novas e coloridas!

Franjinha ficou tão feliz, mas tão feliz, que o efeito na nuvem foi instantâneo: ela ficou bem fraquinha. Afinal, ela detestava a calma e a felicidade.

A nuvenzinha não gostou nada daquela alegria toda do Franjinha. Saiu do laboratório e ouviu um grito estranho. Era a Magali. Ao abrir a geladeira, percebeu que alguém tinha comido o último pedaço de melancia.

– Oba! – disse a nuvem. – Esta menina tem fama de gulosa, vai ficar furiosa por um bom tempo.

Mas a nuvenzinha não conhecia a menina tão bem quanto imaginava.

Um minuto depois, Magali viu em cima da mesa um bolo de chocolate quentinho que tinha acabado de sair do forno.

Bom, não precisa nem ser um gênio para saber que foi muito fácil esquecer a melancia. A menina comeu todo o bolo, cada pedacinho, sem deixar nenhuma migalha.

Aquela calmaria e satisfação toda da casa da Magali não era nada boa. A nuvenzinha foi murchando, murchando... Ficou desesperada e resolveu sair de lá.

“Vou embora daqui agora mesmo, antes que eu desapareça de vez!” – pensou ela.

Foi direto para a pracinha, que estava vazia.

“E agora?” – pensou a nuvenzinha. “Não tem ninguém aqui. Só esse menino feliz e tranquilo sobrevoando as árvores.”

Era o Anjinho, que procurava alguém para brincar. A Turminha costumava se encontrar no fim da tarde naquele lugar.

— O que será que aconteceu com a Turma? Cadê todo mundo? – indagou Anjinho.

Mas, antes que alguém pudesse responder, apareceu Cascão com o aviãozinho já consertado que tinha ganhado do Cebolinha.

E logo apareceu, também, justamente o Cebolinha. Cascão tratou logo de pedir desculpas ao amigo:

– Eu não queria estragar o seu plano de novo.

Cebolinha aceitou o pedido de desculpas na mesma hora e completou:

– O plano nem ***ela*** tão bom assim...

Os amigos se abraçaram e foram brincar com o aviãozinho. Anjinho também quis brincar com eles.

A nuvem foi murchando e atrás dela começou a aparecer um lindo arco-íris.

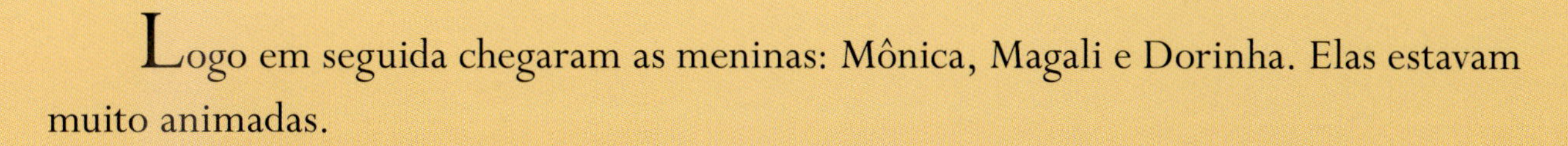

Logo em seguida chegaram as meninas: Mônica, Magali e Dorinha. Elas estavam muito animadas.

Cebolinha e Cascão pediram desculpas para a amiga por terem sujado o Sansão. Mônica também admitiu que se excedeu um pouquinho com as coelhadas.

A nuvem ficou pequenininha e o arco-íris, mais forte e bonito.

Franjinha e Bidu também apareceram, eufóricos. O menino foi logo contando a descoberta.

– ... e assim, as flores, que estavam secas e murchas, ficaram novinhas em folha!

E, claro, a Turma toda ficou muito feliz por ele!

Naquele dia, a nuvenzinha não teve mais chance e desapareceu por completo.

O arco-íris pôde brilhar triunfante no céu naquele fim de tarde, assim como os bons sentimentos compartilhados e tantos outros sentimentos que fazem espantar as nuvens roxas que insistem em aparecer.

Circuito Aventura

Férias são tempo de diversão! E, quando tem acampamento com amigos, a diversão é muito MAIOR!

Foi assim nas últimas férias da Turminha. Todos chegaram animados no Sítio Circuito Aventura. Mal podiam esperar para formar equipes e começar as brincadeiras.

A ansiedade aumentou mais ainda quando as crianças chegaram lá e descobriram que os monitores responsáveis por cuidar deles eram o Zecão e a Pipa.

Quando desceram do ônibus, as crianças levaram suas malas para o quarto e correram para o refeitório. Antes de começar as atividades, era hora do lanche.

Eu disse que todos correram? Mas não foram todos, não. Magali foi a única que não correu, ela simplesmente VOOU! E sabe por quê? Porque ela morre de medo de não sobrar comida para ela.

Depois do lanche, Zecão e Pipa chamaram todos para a primeira programação: passeio de barco com pescaria.

Cascão foi logo inventando uma desculpa:

– Ah, vocês podem ir sem mim. Estou cansado demais da viagem. Acho que uma sonequinha vai cair bem – disse ele.

Já descobriu por quê? Isso mesmo, porque ele tem pavor de água! E, quando o Cascão fica assim, seu coração dispara.

Como já conhecia a fama do Cascão e percebeu o medo dele, Pipa falou:

– Não se preocupe, Cascão! O barco é tão grande que você pode descansar lá mesmo. Tão grande, tão grande, que não cai nem um pingo d'água dentro dele.

Apesar de o coração ainda estar disparado, Cascão entendeu a indireta e mudou de ideia. Mas não custava nada se proteger um pouquinho.

O passeio foi bem mais divertido do que imaginavam.

Aos poucos, Cascão foi se acalmando. O coração parou de bater acelerado e, no final, até conseguiu pescar um peixão.

À noite, teve cantoria em volta da fogueira. Em seguida, o Zecão começou a contar algumas histórias de terror. Uma delas falava sobre o lobisomem:

– Era uma noite de sexta-feira, como hoje. Tinha lua cheia, como hoje. Havia uma turma sentada em volta da fogueira, assim como nós, quando ouviu-se um uivo vindo da mata.

Nesse momento, um uivo terrível ecoou da mata e a criançada deu um grito.

– E o uivo foi ficando mais forte, e parecia cada vez mais perto. Até que ouviram barulhos de passos pisando em folhas secas – continuou Zecão com a história.

Ao ouvirem passos de verdade nas folhas secas, as crianças ficaram pálidas de medo e começaram a tremer. Nesse instante, Pipa saiu de repente da mata e deu um grito de pavor.

Todos gritaram juntos até escutarem as gargalhadas do Zecão e da Pipa. Então, perceberam a "pegadinha" e soltaram muitas gargalhadas também.

Como já era hora de dormir, todos voltaram para o alojamento e seguiram para seus quartos. Quando a criançada estava de pijama, Zé da Roça começou a resmungar baixinho.

– Que foi, Zé? – perguntaram os amigos.

– Não quero falar, estou com vergonha.

– Que é isso, Zé! Você é nosso amigo. Pode falar, garanto que nós vamos entender – disse o Cascão.

— Eu, eu... tenho medo do escuro. Quando durmo na minha casa, tenho sempre um abajur no quarto. Por isso, nunca fiquei na escuridão total, como agora.

Então, Franjinha deu a ideia de deixar uma lanterna acesa com o amigo. Dessa forma, Zé da Roça ficou mais calmo e conseguiu dormir.

No meio da noite, a bateria da lanterna acabou e ficaram sem luz. Mas o Zé já estava feliz da vida, dormindo tranquilinho.

No dia seguinte, todos acordaram curiosos com as novas atividades. O passeio principal era fazer uma trilha radical em direção ao topo da montanha, apreciar a linda vista lá de cima e descer por um teleférico.

– Oba! – a criançada gritava animada.

Mas Franjinha não estava nem um pouco empolgado, pois tinha medo de altura. Pipa convenceu o garoto a fazer a trilha com eles e, se realmente não quisesse descer pelo teleférico, eles voltariam caminhando. Com esse combinado, Franjinha concordou.

E assim seguiram pela trilha. Viram muitos pássaros e diferentes animais silvestres pelo caminho.

Quando chegaram ao topo, um a um foi descendo pelo teleférico.

– Nossa! A vista aqui é mesmo de tirar o fôlego! – comentou a Mônica.

– Vou até ***tilar*** uma foto ***plo*** meu pai e ***pla*** minha mãe ***velem*** como esta paisagem é demais – completou o Cebolinha.

Franjinha estava por último na fila, só acompanhando a empolgação dos amigos. Ele queria muito perder o medo e se aventurar no teleférico.

Quando chegou a sua vez, fechou os olhos, tentou dar um passo para a frente, mas suas pernas não obedeceram. Que pena! Não foi dessa vez! Assim, Franjinha voltou pela trilha acompanhado da Pipa.

Lá embaixo, na saída do teleférico, Zecão orientou as crianças a não ficarem enchendo o Franjinha por não ter descido com elas.

– Todo mundo tem algum medo que precisa enfrentar. Isso é normal! Por isso, melhor nem fazerem nenhum comentário. Certo, turma?

À tarde, teve queimada com tinta. Pipa explicou que as regras da brincadeira eram as mesmas da queimada, mas a bola seria trocada por bexigas com tinta dentro.

Foi uma folia só! No final do jogo, estavam todos pintados. Por isso, Zecão e Pipa liberaram as crianças para brincar jogando as bexigas restantes uns nos outros.

Todos estavam se divertindo muito, quando Cebolinha, sem querer, sujou o Sansão, que estava em cima de uma pedra.

Na mesma hora, o Cebolinha gelou. Sua reação imediata de desespero foi sair correndo. Cascão viu o que tinha acontecido e foi atrás do amigo.

– Ô, Cebolinha. Por que você está fugindo? É claro que você sujou o Sansão sem querer...

– E você acha que a Mônica vai ***acleditar***? – falou Cebolinha. Cascão, em vez de acalmar o amigo, concordou:

– Ih, é verdade! Ela vai ficar furiosa. Se prepara pra coelhada!

– Ai, não ***quelo*** nem ver! – berrava Cebolinha, visivelmente preocupado.

Em seguida, apareceu a Magali:

– O que está acontecendo, pessoal?

– É o Cebolinha, Magali. Ele está com medo da Mônica – respondeu Cascão.

– Ah, o que você aprontou agora, Cebolinha? – perguntou Magali.

– Nada! ***Julo*** que foi sem ***queler***. Eu ia ***aceltar*** o Dudu, mas ***elei*** a ***mila*** e a bexiga de tinta caiu no Sansão – falou Cebolinha, que estava começando a se acalmar.

– Ah, e agora ele vai levar coelhada! – completou Cascão.

E aí o desespero recomeçou.

– Tenta explicar para ela. Tenho certeza de que a Mônica vai entender – disse Magali, acalmando novamente o amigo.

Os dois incentivaram tanto o Cebolinha a contar tudo para a Mônica que ele se encheu de coragem e foi.

– O quê? Eu vou... eu vou... – A menina ia revidar.

Mônica respirou fundo várias vezes para não deixar a raiva falar mais alto do que a razão.

E, para sua surpresa, ela entendeu o que tinha acontecido. É claro, ficou um pouco triste porque seu coelho ia passar um tempo na lavanderia, mas não podia bater no amigo por isso.

À noite, depois do jantar, Chico Bento inventou de brincar de pular a cerca. Acabou se desequilibrando e, na queda, cortou o braço. E, claro, saiu sangue.

– Ai, ai! Sangue!

Rosinha, quando viu o sangue, desmaiou. A garotada chamou os monitores Zecão e Pipa, que imediatamente levaram os dois para a enfermaria. Rosinha acordou e ficou lá acompanhando o Chico, que precisou levar alguns pontos e ficou em observação.

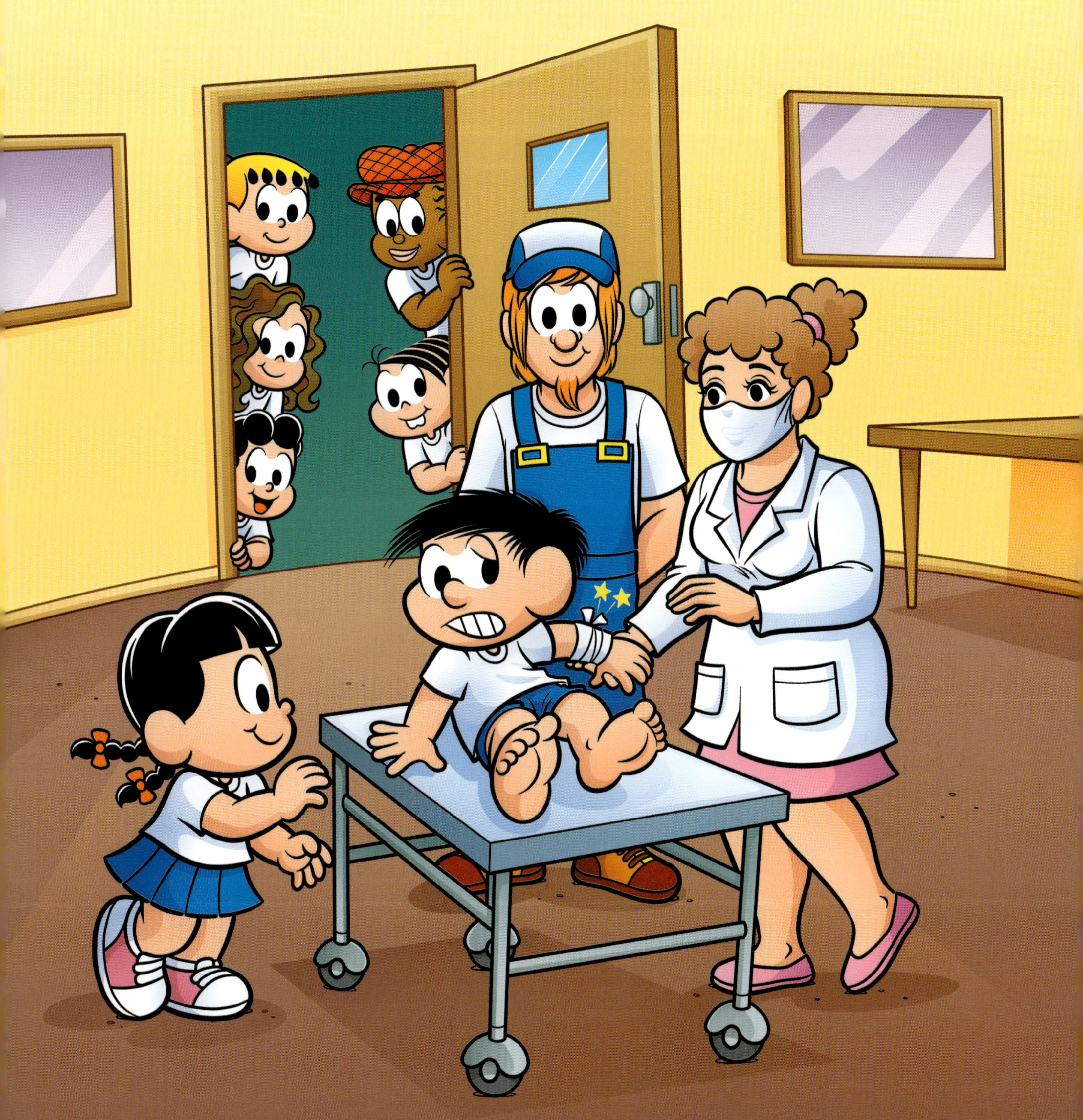

No alojamento, foi a vez de o Zé Lelé ficar desesperado. Ele não conseguia dormir sozinho. Afinal, o Chico – que estava na enfermaria – era o seu companheiro.

Ele resolveu desabafar com a Pipa:

– Sabe, Pipa... quando eu tô sozinho, não paro di pensár im monstro, lobisome, assombração i fantasma.

– Já sei! Vamos fazer uma brincadeira, Zé Lelé? – propôs Pipa. – Feche os olhos e imagine todos esses monstros. Agora, pense neles com alguma coisa engraçada. Imagine outras caras, com roupas diferentes e um jeito de monstro que até parece que eles são simpáticos.

De repente, Zé Lelé começou a rir muito, sem parar.

– Ara, meus monstro ficaro muito ingraçado. Ó, vô inté desenhá eles procê vê – respondeu Zé Lelé.

Rapidinho, o menino desenhou um monte de monstros bem divertidos:

– Gostei muito dessa prosa i da ideia dos desenho. Si os monstro vortá pros meus pensamento, vô fazê o qui ocê mi insinô.

Quando Chico Bento finalmente voltou para o quarto, Zé Lelé estava rindo muito. Chico não entendeu nada do que estava acontecendo, mas achou melhor nem perguntar nada para o primo.

Na manhã seguinte, era o dia da caça ao tesouro. As crianças foram divididas em quatro equipes: azul, amarela, verde e vermelha. Cada uma receberia uma pista, que precisava ser desvendada para chegar em outras pistas até encontrar o tesouro.

A equipe vermelha – formada por Mônica, Cebolinha, Magali, Cascão e Franjinha – logo decifrou a primeira pista, que a levou até o chiqueiro.

As crianças correram para o chiqueiro e encontraram a segunda pista, que indicou o teleférico. Chegando lá, acharam a terceira pista, que os mandou para o pomar que ficava bem na descida do teleférico.

Todos olharam apreensivos para o Franjinha, pois a regra do jogo era que a equipe só seria vencedora se todos chegassem juntos ao local onde estava escondido o tesouro. E agora?

Magali foi a primeira a falar:

— Franjinha, nós vamos entender se você não conseguir.

O pequeno cientista estava pálido, muito pálido e pensativo, mas falou:

– Valeu pela força, pessoal. Mas eu vou tentar. Não posso deixar minha equipe ser prejudicada. Isso não seria justo com vocês.

– Isso mesmo, amigo! Enfrente o medo! Depois você vai até gostar – incentivou a corajosa Mônica.

Então, Franjinha colocou suas mãos no teleférico, fechou os olhos e deu um impulso. A brisa leve no seu rosto foi dando uma sensação tão incrível que ele resolveu abrir os olhos.

“Puxa, a vista daqui é mesmo incrível!” – pensou ele.

Franjinha desceu admirando toda aquela linda paisagem. Chegou todo sorridente e muito orgulhoso de si mesmo, por ter superado seu medo. A Turminha, animada, aplaudia o amigo lá de cima.

Quando todos os outros desceram, cavaram o local marcado e encontraram o tesouro.

O acampamento chegava ao fim. No dia seguinte, todos partiriam de volta para as suas casas. Então, à noite, houve uma festa de despedida!

As equipes receberam os prêmios de acordo com a colocação de cada uma. Cada criança também ganhou uma lembrança do Sítio Circuito Aventura.

O Zecão fez um discurso, elogiando as atitudes da Turminha:

– A amizade, a solidariedade e o respeito que tiveram com os amigos foram incríveis e fundamentais para o sucesso do acampamento!

Em seguida, Pipa elogiou os progressos de cada um:

– Além de se divertir, vocês foram corajosos, superaram seus medos e aprenderam a importância da amizade e de agir em equipe, mas sempre respeitando os limites de cada um! Parabéns!

Para sempre no meu coração

Estes são a Dorinha e o seu cão-guia, o Radar. Ela é uma menina muito inteligente, simpática e bastante extrovertida. Tem vários amigos e participa das brincadeiras e aventuras da sua Turminha.

Todos ficam muito surpresos com as habilidades da amiga. Dorinha consegue reconhecer cada um pelo cheiro e pela voz.

Esta é a vovó Zinha querida, que é como Dorinha a chama. Ela ensinou a neta a "ver o mundo de uma maneira diferente".

Como Dorinha nasceu com deficiência visual, teve que aprender sua forma de enxergar o mundo, e a vovó foi muito importante nesse momento.

Ela mostrou que o mundo não é feito só de imagens; mas também de aromas, sons, gostos e sensações.

A vovó sempre inventava passeios por lugares da natureza, pois queria que sua netinha visse e sentisse a beleza das flores, das praias, dos campos.

Vovó Zinha queria tanto partilhar esses momentos com Dorinha que fechava seus olhos para sentir a textura das pétalas, a aspereza das pedras, a maciez da areia, a pontada dos espinhos, a suavidade das águas.

Assim, as duas sentiam o toque da brisa no rosto, a força do vento despenteando os cabelos...

Sentiam o cheiro do orvalho, da terra e o cheiro adocicado das flores. Podiam também apreciar o gosto salgado do mar. Que delícia!

Dessa forma, tanto Dorinha quanto vovó Zinha iam descobrindo juntas um mundo novo.

Vovó Zinha também gostava de explorar o mundo dos sons. Por isso, ela e Dorinha frequentavam os mais diferentes lugares em que a música imperava: orquestras maravilhosas, *shows* de *rock*, bailes de carnaval, escolas de samba ou uma sinfonia de pássaros num bosque.

Naqueles passeios, as duas viajavam pelas melodias e podiam saborear cada nota musical.

No paladar, as delícias não tinham fim. Comidas e sobremesas de todos os gostos e sabores. Gastronomia local e mundial, uma experiência nova sempre!

Vovó fazia os pedidos e a neta ia conhecendo, reconhecendo e saboreando os mais diferentes gostos. Salgados, doces, ácidos, amargos... Ah, e não podiam faltar as frutas tiradas diretamente do pé, é claro. Hummm!

Vovó também incentivava Dorinha a reconhecer os aromas: os perfumes das amigas, as fragrâncias das flores e das frutas, o café acabado de coar, o cheiro de talco dos bebês, o suor do papai quando corria e até mesmo... o pum fedido dos amigos. Há, há, há!

Dorinha, hoje, reconhece a Turminha até pelo cheiro. Saber quando o Cascão está chegando é fácil, fácil!

Dorinha gosta de conhecer as feições das pessoas pelo tato. Ela consegue até perceber o sentimento de cada um apalpando seu rosto ou ouvindo seu tom de voz.

E também sabe quem está chegando pelos passos. Incrível, não é mesmo?

Mas o maior presente que vovó Zinha lhe deu foi seu inseparável amigo, o cão Radar. Além de ser um bichinho de estimação, o labrador funciona como "seus olhos" em todos os momentos. Um cão-guia treinado para lhe dar liberdade e autonomia e deixá-la segura.

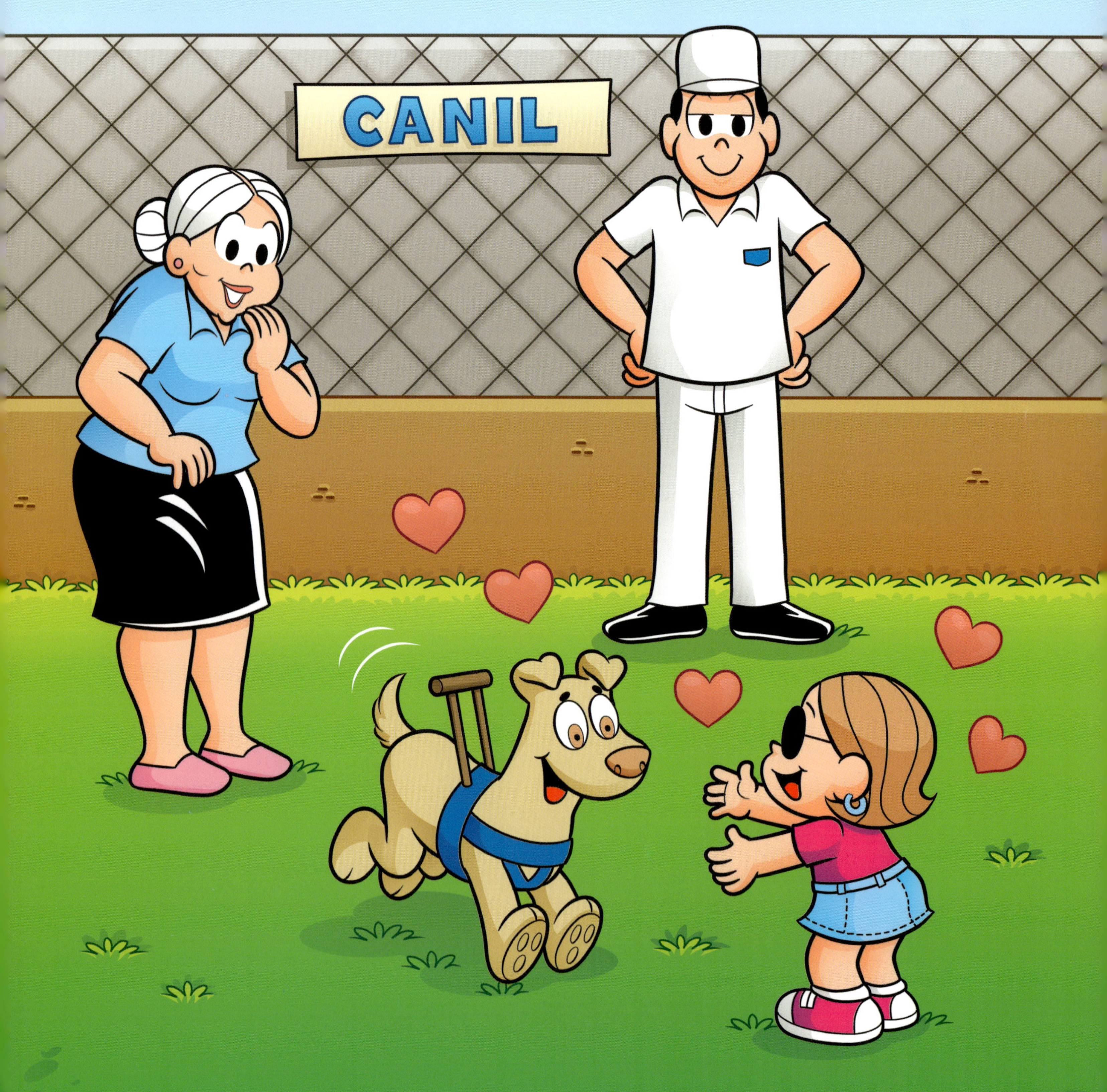

Radar é mesmo um companheiro de todas as horas! A Turminha também gosta muito desse cachorro tão carinhoso.

Vovó Zinha também partilhava com a neta o gosto pela moda. Iam juntas a desfiles e frequentavam *shopping centers*. Vovó descrevia as revistas de moda e as duas experimentavam tudo em perfeita combinação.

Óculos e acessórios são os preferidos da menina!

Dorinha é sempre consultada pelas amigas quando o assunto é moda. Ela até foi eleita a mais “fashion” da Turma!

E não é que a vovó Zinha bordava e costurava muito bem? Por isso, ensinou a neta a bordar. Era impressionante tudo o que a dupla conseguia criar.

Os bordados de Dorinha sempre fizeram muito sucesso. Vovó Zinha até ganhou novas alunas, pois as amigas da neta também quiseram aprender a bordar.

No entanto, de todos os momentos que avó e neta passavam juntas, o preferido de Dorinha era a hora da história. Vovó Zinha lia muitos contos, descrevendo cada cena em detalhes.

Dorinha ficava imaginando as paisagens mais deslumbrantes, as aventuras mais emocionantes, as batalhas mais aterrorizantes, os vilões mais arrogantes e os finais felizes mais brilhantes.

Os detalhes eram tão precisos nos personagens, cenários e ações que Dorinha podia imaginar tudo com grande facilidade.

Na voz da vovó, Dorinha era a princesa em perigo, a brava guerreira, a exploradora de um planeta novo. Às vezes, era uma fada, em outras, uma bruxa.

Quando aprendeu o braile, Dorinha podia se aventurar sozinha no maravilhoso mundo da leitura.

Romances, mistérios, aventuras e suspenses, nada escapa aos dedos ágeis e à imaginação fértil da menina!

Hoje, a vovó Zinha não está mais entre nós.

Mas seus ensinamentos e suas lembranças estarão sempre em nossos pensamentos e corações! E, por essa razão, ela viverá para sempre nas lembranças de Dorinha...

A grande festa

Certo dia, na escola do bairro do Limoeiro, entrou uma aluna nova, a Júlia. Era uma menina muito estranha. Estranha porque não falava nem sorria.

As crianças tentavam se aproximar dela, queriam conhecer a nova amiga. Até faziam perguntas, mas ela sempre se afastava.

Aquelas atitudes deixaram os amigos pensativos e todos foram para casa pensando. Afinal, por que uma criança não fala nem sorri?

Sozinha, em seu quarto, Mônica se pôs a pensar em Júlia.

Queria descobrir por que a nova colega parecia tão triste.

Lembrou-se da última vez que se sentiu assim. Também não queria falar com ninguém. Foi quando o Cebolinha e o Cascão, num de seus planos malucos, haviam destruído o Sansão. Seu coelhinho ficou tão sujo e rasgado que teve que passar um tempo longe, na costureira e na lavanderia, até que voltasse a ser o seu velho companheiro de sempre.

Mônica estava tão triste, com saudade do Sansão e magoada com a atitude de seus amigos, que queria ficar sozinha. Mas sua mãe, percebendo a tristeza, chegou devagarinho, não falou nenhuma palavra, pois a conhecia muito bem e sabia que ela não queria falar no assunto. Pelo menos, não naquela hora.

Ela deu um abraço bem apertado na filha, daqueles que só as mães sabem dar, e as duas ficaram ali, na cama da Mônica, abraçadinhas até a menina adormecer.

Aquele abraço acalmou sua cabeça, que não parava de pensar.

Como o Sansão iria ficar?

Como aguentaria segurar a saudade?

Quando o Sansão voltaria para casa?

Por que seus amigos tinham aprontado aquilo com ela?

Como conseguiria dormir sem ele?

O aconchego daquele abraço foi dissolvendo seus pensamentos, até que eles desapareceram por completo e ela caiu no sono.

No dia seguinte, Mônica acordou animada, na certeza de que tudo daria certo e, em breve, o Sansão estaria de volta. E foi o que aconteceu.

– É isso! A Júlia precisa mesmo é de um abraço bem apertado. Assim ela vai ficar feliz de novo!

Logo que chegou na escola, Mônica saiu correndo para abraçar Júlia. Mas a menina já conhecia a fama de brigona da colega. Quando viu a Mônica correndo em sua direção com os braços abertos, Júlia entendeu errado a intenção e saiu correndo, apavorada.

"Por que ela recusou o meu abraço?" – Mônica não entendeu nada.

Mônica foi logo contar o que tinha acontecido para Magali:

– Vai ver ela é como eu. Não gosto muito de abraço quando estou triste. Nessas horas, só penso em comer. Doce, doce, doce... Se for chocolate, melhor ainda! – respondeu a amiga.

– Quando estou triste, sinto um friozinho na barriga. Aí, quando como chocolate, sinto um calorzinho e vou me animando. Não gosto de ficar sozinha nessas horas – completou Magali. – Chamo meus pais ou alguém para conversar. O chato é que não divido só a minha tristeza, mas o meu chocolate também...

E então Magali lembrou do seu dia mais triste. Foi quando enterrou seu peixinho dourado. Até hoje ela sente um frio na barriga só de lembrar dele, mesmo o tempo tendo amenizado um pouco a dor e a saudade. Seus amigos e os chocolates foram muito importantes naquele dia.

— Mas onde vamos arrumar chocolate agora? – perguntou Mônica.

– Eu até trouxe uma caixinha de chocolates que a mamãe mandou para eu dividir com os amigos. Mas sabe como é... no caminho para a escola bateu aquela fome e...

– Nem precisa terminar, Magali. Já entendi. – E Mônica deu o assunto por encerrado.

Mais tarde, na hora do recreio, Magali teve uma ideia. Pegou uma de suas melancias, que havia trazido de lanche, e colocou na lancheira da Júlia.

Mas o peso arrebentou a lancheira novinha da menina. E, claro, Júlia começou a chorar sem parar. Ela ainda achou que Magali tinha quebrado sua lancheira de propósito.

Mônica e Magali ficaram muito chateadas em deixar Júlia ainda mais triste do que ela já estava.

Na hora da saída, Cascão e Cebolinha vieram saber o que estava acontecendo. Mônica e Magali explicaram tudo.

– Quando eu fico ***tliste***, ***cholo*** sem ***palar***. Meu ***colação*** fica ***acelelado***! O único jeito de eu me acalmar é pensar em coisas ***englaçadas***. Aí, aos poucos a ***tlisteza*** vai passando – Cebolinha explicou.

E o menino lembrou do dia em que não foi convidado para o aniversário de um dos seus coleguinhas, e chegou muito triste em casa. Foi direto para o quarto e abriu o berreiro. Seu pai esperou que ele se acalmasse e foi até lá. Contou muitas piadas e adivinhas. Cebolinha riu tanto, mas tanto, que esqueceu o aniversário do colega e da tristeza que estava sentindo.

Foi quando teve uma ideia de como fazer a Júlia sorrir.

No dia seguinte, quando chegou na escola, Cebolinha tirou da mochila uma caixinha toda enfeitada com laço de fita e deixou o presente na carteira da Júlia.

A menina chegou em seguida, sentou-se e abriu a caixa. Lá de dentro, pulou uma cobra de brinquedo feita de mola.

Júlia levou um susto tão grande que começou a chorar, enquanto o resto todo da sala ria por causa da cobra que ainda pulava sem parar.

Cebolinha ficou muito chateado. A brincadeira era para ser engraçada. Mas quem não achou graça nenhuma mesmo foi a professora. Ela ficou tão zangada que mandou o menino direto para a sala da diretora.

No intervalo, Cascão, preocupado com o amigo, resolveu dar um jeito e ajudar o Cebolinha:

– Se eu animar a aluna nova, talvez a diretora não dê uma bronca no Cebolinha, pois vai perceber que a Júlia já está bem.

E ele lembrou de quando ficou doente e não pôde ir ao acampamento de férias. Todos os seus amigos tinham viajado e, por isso, Cascão não tinha ninguém para brincar. Passava o dia todo na cama, emburrado, imaginando tudo que estava perdendo no acampamento.

Os pais de Cascão, preocupados com a tristeza do filho, tiveram uma ideia para que ele não se sentisse tão sozinho nas férias.

E o que era um dia triste transformou-se num dos dias mais felizes da vida do menino: o dia em que ganhou seu porquinho de estimação, o Chovinista!

Na hora da saída, comentou com a Mônica e a Magali:

– Precisamos dar um bichinho de estimação para a Júlia! Com certeza, ela vai ficar bem feliz! – disse Cascão.

– Mas... onde vamos conseguir um bichinho? De qual animalzinho será que ela gosta? – perguntou Magali.

Nesse momento, Cebolinha apareceu com cara de choro. Contou que a diretora ficou muito brava e nem ouviu a história dele.

– A ***diletola*** deu um ***selmão*** daqueles e me mandou bem sentar bem longe da Júlia.

— Puxa, Cebolinha, sinto muito! Mas agora você vai se alegrar, porque tivemos uma ideia para fazer a Júlia sorrir – falou Mônica.

Eles contaram o novo plano. Cebolinha aprovou a ideia. E já saíram da escola andando pela cidade, à procura de um bichinho que pudesse ser o novo animal de estimação da amiga.

Viram muitos bichos, até que encontraram uma galinha que parecia perdida. A ave era muito dócil e eles a levaram para a casa da Magali. Lá, alimentaram o bichinho com milho.

No dia seguinte, colocaram a galinha numa caixa em que ela pudesse respirar, embrulharam para presente e partiram felizes para a escola. Mas, no caminho, viram muitos cartazes pendurados nas árvores e nos postes.

Os amigos concordaram que não poderiam dar a galinha para Júlia. Não era certo fazer a colega sorrir à custa da tristeza de outra criança.

Ligaram para o Guilherme, que já tinha encharcado vários lençóis de tantas lágrimas derramadas. Ele era do interior e tinha vindo passar uns dias na casa do primo.

O garoto estava desolado por perder sua amada Genésia. Ao saber que tinham achado sua galinha de estimação, deu pulos e gritos de alegria. Na mesma hora foi buscar Genésia.

– Ai, que lindo! Parece até o Chico Bento com a Giselda! – disse Mônica.

Mas a Turminha continuava com um problema não solucionado. Como fazer a Júlia falar e sorrir?

Todos chegaram na escola desanimados e descobriram que Júlia tinha faltado.

— Classe, estou decepcionada! A nova amiga de vocês ficou traumatizada nesses dias de aula. A mãe dela até ligou para a escola: disse que uma aluna tinha quebrado a lancheira dela de propósito, um menino tinha dado um susto nela e outra garota tinha tentado bater nela. Alguém pode me explicar o que está acontecendo? – perguntou, brava, a professora.

As crianças logo explicaram em detalhes tudo que realmente tinha acontecido. Não passava de um grande mal-entendido! Após a aula, a professora ligou para a mãe da Júlia e explicou tudo.

Então, no dia seguinte, quando a Júlia chegou na escola, teve uma grande surpresa. Todos tinham preparado uma festa para ela. A menina ficou tão emocionada que chorou. Mas, desta vez, foi de alegria.

Logo em seguida, deu um grande sorriso e contou por que não tinha falado nada nem sorrido até então. É que guardava na memória lembranças de maus momentos vividos em outra escola, onde não tinha amigos.

Agora, Júlia tem uma nova chance de ser feliz, porque encontrou amigos que realmente se importam com ela.

Foto: Lailson dos Santos

Mauricio de Sousa nasceu em 27 de outubro de 1935, numa família de poetas e contadores de histórias, em Santa Isabel, no interior de São Paulo.

Ainda criança, mudou-se para Mogi das Cruzes, onde descobriu sua paixão pelo desenho e começou a criar os primeiros personagens. Com 19 anos, foi para São Paulo tentar trabalhar como ilustrador na *Folha da Manhã* (hoje *Folha de S.Paulo*). Conseguiu apenas uma vaga de repórter policial.

Em 1959, publicou sua primeira tira diária, com as aventuras do garoto Franjinha e do seu cãozinho Bidu. As tiras de Mauricio de Sousa espalharam-se por jornais de todo o país, levando-o a montar um estúdio que hoje dá vida a mais de trezentos personagens.

Em 1970, lançou a revista *Mônica* e, em 1971, recebeu o mais importante prêmio do mundo dos quadrinhos, o troféu Yellow Kid, em Lucca, na Itália. Seguindo o sucesso de Mônica, outros personagens também ganharam suas próprias revistas, que já passaram pelas editoras Abril e Globo e atualmente estão na Panini. Dos quadrinhos, eles foram para o teatro, o cinema, a televisão, a internet, parques temáticos e até para exposições de arte.

Foto: Jana Teofilo

Paula Furtado é formada em Pedagogia pela Pontifícia Universidade Católica de São Paulo.

É psicopedagoga e arteterapeuta pelo Instituto Sedes Sapientiae e especialista em Neuropsicopedagogia e Contos Infantis.

No mundo editorial, é escritora infantojuvenil com dezenas de livros publicados e coautora em diferentes antologias para diversas editoras. Divide sua paixão fazendo contação de histórias para o público infantil.

Atuou como professora de Educação Infantil e Ensino Fundamental na rede particular de ensino.

Também é responsável pela criação e patente de diversos jogos pedagógicos, como Desafio, Desafio Folclore, Ligue 4 da letra R, Detetive de Palavras, entre outros.

Além disso, é assessora pedagógica em escolas da rede pública e particular e trabalha em consultório particular com crianças e adolescentes com dificuldades de aprendizagem.

Saiba mais em www.paulafurtado.com.br.

Amor

Amor